les
histoires
**ROUGE
& OR**

C'est l'hiver,
Princesse Rosa !

Judy Hindley • Margaret Chamberlain

L'édition originale de ce livre est parue sous le titre *Princess Rosa's Winter*
chez Kingfisher Publications Plc, Londres, en 1997.

Texte © Judy Hindley, 1997
Illustrations © Margaret Chamberlain, 1997

Le droit moral de l'auteur et de l'illustrateur a été respecté.

Édition française :
© Rouge & Or 2008

Traduction : Fenn Troller
Édition : Véronique Roberty et Émilie Franc
Mise en pages : Marine le Breton

Numéro d'éditeur : 10145753
ISBN : 978-2-26-140183-3
Dépôt légal : mars 2008
Imprimé en Chine

Sommaire

Chapitre un

C'était un matin d'hiver,

voici fort longtemps.

Le château était sombre et humide.

Quand la princesse Rosa

ouvrit les yeux,

la bougie à côté de son lit

était encore allumée.

La princesse demanda à sa nourrice :

« Pourquoi fait-il encore nuit

quand nous nous éveillons ? »

La nourrice expliqua :

« C'est l'hiver !

Le soleil se lève tard

à cette époque de l'année.

L'hiver est une saison sombre. »

Elle souffla sur le feu

pour raviver les flammes.

Quand la petite princesse

bondit hors de son lit,

la température la saisit.

Elle eut beau enfiler

trois robes

l'une par-dessus l'autre…

elle avait froid !

« Pourquoi fait-il

si froid aujourd'hui ? »

demanda-t-elle.

Sa nourrice expliqua :

« C'est l'hiver !

Le soleil est fatigué

et il neige.

Une saison sombre

est une saison froide. »

Rosa se blottit près du fourneau
avec ses chiens.

Sa nourrice fit griller du pain
et chauffer du lait.

Pendant l'hiver,

le petit déjeuner était

le même tous les matins,

mais elles le dévoraient

jusqu'à la dernière miette.

Elles s'emmitouflèrent ensuite
dans leurs longues capes
et se hâtèrent d'aller saluer
le Roi et la Reine.
Une brise glacée s'insinuait
dans les couloirs
et une brume froide et blanche
rasait le sol.

Il faisait si froid

qu'elles trouvèrent le Roi

et la Reine encore au lit.

« Grimpe, ma petite rose,

grimpe ! s'écria

le Roi.

– Viens m'embrasser,

mon joli pétale de rose ! »

dit la Reine.

Rosa ne se fit pas prier.

Le lit royal avait un toit

et des rideaux.

À l'intérieur, c'était comme

une caverne douillette

et chaude.

Mais à cet instant
l'Intendant Principal
vint pour s'entretenir
d'une affaire capitale
avec le Roi.
Le Chancelier vint
poser une importante
question.

Le prêtre

vint dire une prière

avec la Reine.

La femme de chambre

vint la coiffer.

La cuisinière vint avec
le plateau du petit déjeuner.
Et un petit page vint
apporter un message.

Le château était gardé

par des soldats en armes.

Entré au nez et à la barbe de ces gardes,

le chat fit aboyer les chiens

et finalement le Roi décréta :

« Disparaissez ! »

Et tout le monde

s'en alla.

Chapitre deux

La princesse et sa nourrice
repartirent par le long couloir
humide et l'escalier
en colimaçon.

Main dans la main,
elles franchirent
les grandes portes
du château.
Dehors, la neige tombait
à gros flocons.

Il faisait trop froid
pour faire courir
les chiens…

Trop froid
pour promener
le cheval…

Si froid
que le faucon
ne voulait pas voler.

Elles ne pouvaient même pas

donner à manger aux animaux.

Les poissons se cachaient

sous la glace.

Les canards, les cygnes

et les oies n'étaient plus là.

La princesse avait froid.

Elles retournèrent

au château où le déjeuner

les attendait dans

la grande salle.

Un bon feu flambait

dans la cheminée,

mais autour de la table,

tous avaient triste mine.

Cela faisait des semaines

que personne n'avait eu vent

d'une nouvelle intéressante,

n'avait entendu une histoire drôle

ou une nouvelle chanson.

On s'ennuyait à la cour du Roi.

Quand le repas fut servi,

tout le monde se renfrogna.

« C'est toujours la même chose !

se plaignit Rosa.

Je ne pourrais pas avoir un œuf ?

– Ma petite chérie,

il n'y a pas d'œufs pendant

l'hiver ! expliqua la Reine.

Quand la lumière diminue,

les poules ne pondent pas. »

La petite princesse très en colère

jeta sa cuillère par terre

et s'exclama :

« Je n'aime pas l'hiver !

– Voyons ! fit sa nourrice.

Il y a de belles choses l'hiver.

– Lesquelles ? » demanda

Rosa.

Tout le monde se mit à réfléchir.

« Il doit bien y en avoir

quelques-unes,

dit le vieux chevalier.

– Je sais !

s'écria le petit page.

La neige !

On en a besoin pour faire

des glissades, de la luge

et des boules de neige.

– Noël! s'écria la Reine.

Noël est un moment merveilleux!

Nous nous déguisons

et nous décorons le château

de rubans, de clochettes

et de branches de houx.

Puis nous dansons

sur la musique des ménestrels. »

La princesse Rosa insista :

« La neige est trop froide.

Et je ne sais pas

si j'aime me déguiser

ou danser.

Non, je n'aime pas l'hiver ! »

Le Roi dit alors :

« Il y a une chose merveilleuse

dont personne n'a encore parlé :

Rigoletti.

– Qu'est-ce que c'est ? demanda Rosa. »

C'est alors que…

CRAAAAC !

Les portes du château

s'ouvrirent dans un fracas effrayant.

WHOU-OU-OU-OU !

Le vent d'hiver

s'engouffra en tourbillonnant.

Chapitre trois

Là, devant les portes, se tenait

une grande fourrure blanche.

Tout le monde se tut.

La créature traversa

le vestibule

à grandes enjambées.

Le vent rugissait dehors.

Le feu crépitait au château.

Les gouttes de neige fondue

faisaient SCRITCH ! SCRITCH !

sous ses pas.

La créature s'agenouilla
devant le Roi et la Reine
et s'inclina très bas.

Puis elle se releva

et ôta sa peau d'ours

d'un geste théâtral.

«Rigoletti est là ! s'écria le Roi.

Notre visiteur de l'hiver est arrivé !

– Rigoletti est là ! s'exclamèrent la Rein

les chevaliers et les soldats en armes.

– Rigoletti est là !
crièrent les courtisanes,
les domestiques
et les musiciens.

– Hourra ! Hourra ! »

Rigoletti était vêtu des pieds à la tête

de morceaux d'étoffes multicolores,

cousus de grelots et de miroirs.

Quand il bougeait,

il scintillait,

il étincelait,

il tintinnabulait.

De sa manche

surgit une balle,

puis une autre

et une autre.

Bientôt, toutes les balles

dansèrent dans les airs.

37

Il les fit tournoyer en haut,

tournoyer en bas,

derrière ses bras,

ses jambes

et son dos.

Il les fit disparaître

dans son chapeau

et ressortir

par une manche.

Puis il exécuta onze roulades avant
et treize roulades arrière.
Quand il eut fini, tout le monde
applaudit en poussant
des cris.

«HOURRA!
HOURRA!»

Le Roi était si heureux
qu'il commença
à donner des ordres
en tous sens.

« Qu'on apporte des pommes !
des noix ! des châtaignes !
Qu'on fasse venir les violons
et notre meilleur vin !
Que la fête commence !
– Quelle bonne idée,
approuva la Reine.
Pourquoi attendre
jusqu'à Noël
pour nous amuser ? »

Tout le monde dansa,

joua et chanta

durant toute la longue et sombre

nuit d'hiver.

Très tard dans la nuit,

quand Rosa alla enfin

se coucher, la neige

avait cessé de tomber.

Sa nourrice entr'ouvrit le volet

et elles regardèrent la lune

qui brillait, ronde et blanche,

dans le ciel.

La neige miroitait, presque aussi

claire que le jour.

« C'est si beau, une nuit d'hiver,

quand il a neigé, murmura

la petite princesse.

Et Rigoletti est si drôle

lorsqu'il jongle et joue l'acrobate

avec ses pirouettes dans les airs!

J'aime danser l'hiver!

Ah! soupira la princesse Rosa,

vivement Noël!»

FIN

Qui est l'auteur de ce livre ?

Judy Hindley vit à côté d'une forêt ancienne, dans une ville bâtie au temps des chevaliers et des châteaux. «J'aime l'hiver parce que c'est la saison idéale pour se pelotonner dans un fauteuil avec un bon livre», dit-elle.

Qui est l'illustrateur ?

Margaret Chamberlain s'intéresse à la façon dont les gens vivaient autrefois. «Leur vie était gouvernée par les saisons et elle devait être rude. Mais ils savaient s'amuser, comme dans le château de la princesse Rosa!» dit-elle.

Le petit Quiz

Chapitre 1
1. Comment la Reine nomme-t-elle la princesse Rosa ?

2. À quoi le lit du Roi et de la Reine ressemble-t-il ?

3. Qui arrive à entrer dans le château à la barbe des gardes ?

Chapitre 2
4. Pourquoi les poules ne pondent pas durant l'hiver ?

5. Pourquoi tout le monde est triste autour de la table ?

6. À quoi sert la neige ?

Chapitre 3
7. Quel bruit font les gouttes de neige fondue sous les pas de Rigoletti ?

8. Que porte Rigoletti lorsqu'il entre dans le château ?

9. Combien de roulades effectue Rigoletti ?

Réponses

Chapitre 1 1. Mon joli pétale de rose ; 2. À une caverne ; 3. Le chat.
Chapitre 2 4. Parce que la lumière diminue ; 5. Parce que tout le monde s'ennuie à la cour du Roi ; 6. À faire des glissades, de la luge et des boules de neige.
Chapitre 3 7. SCRITCH! SCRITCH! ; 8. Une peau d'ours ;
9. Onze roulades avant et treize roulades arrière.